by Wend

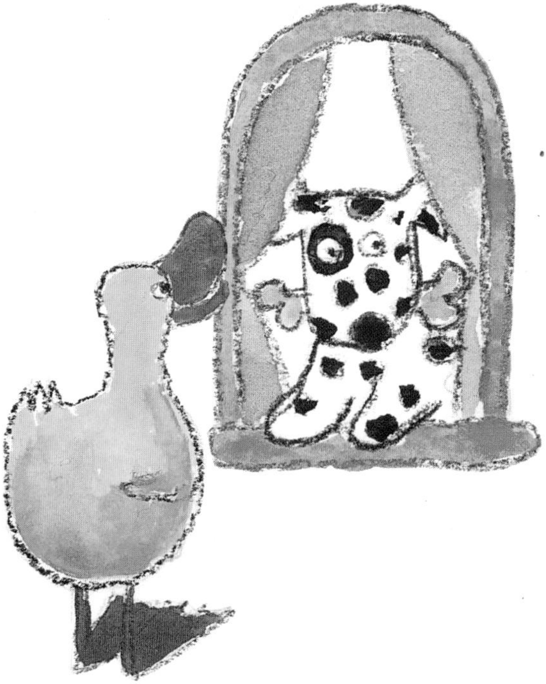

Illustrated by Adrienne Geoghegan

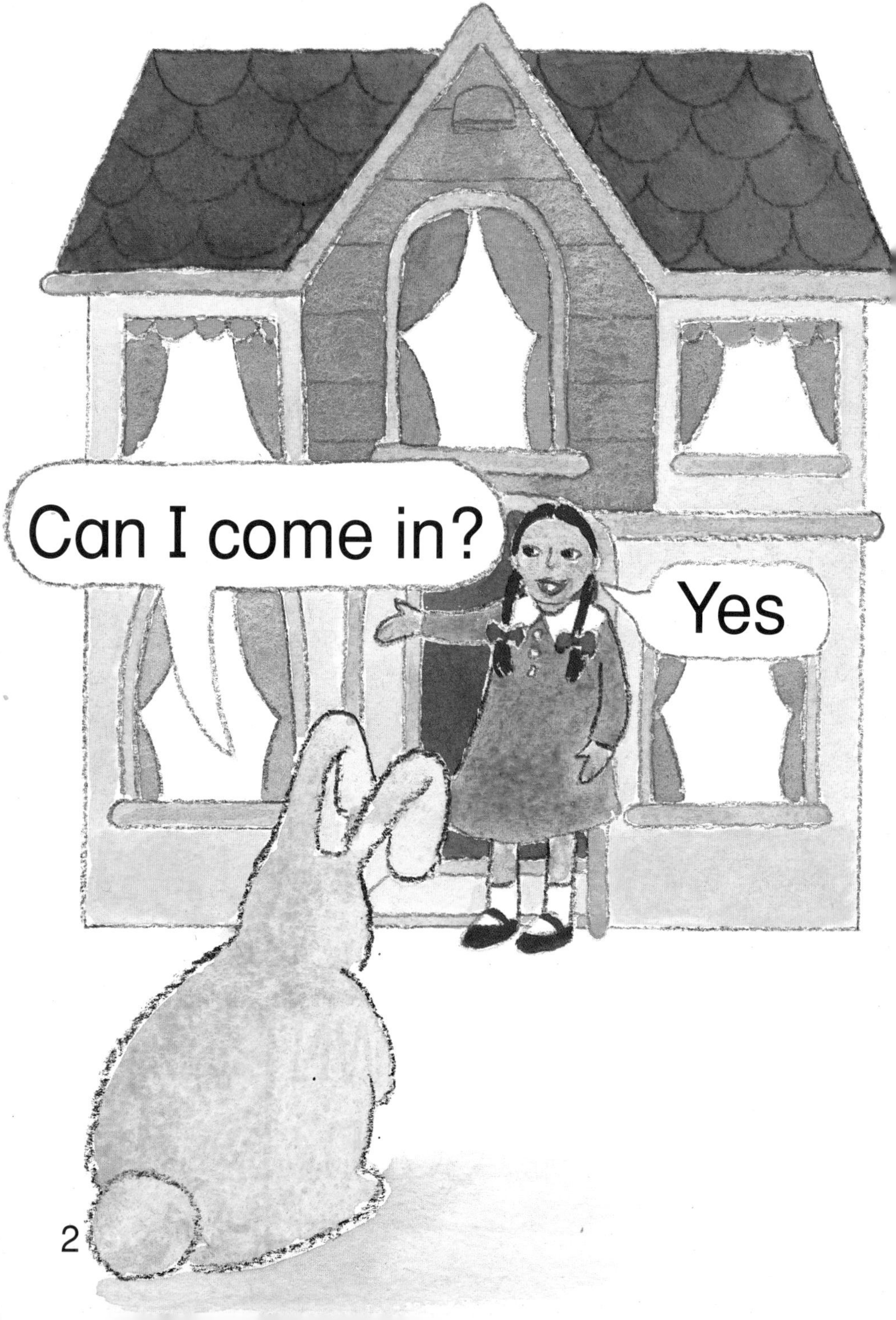
Can I come in?
Yes

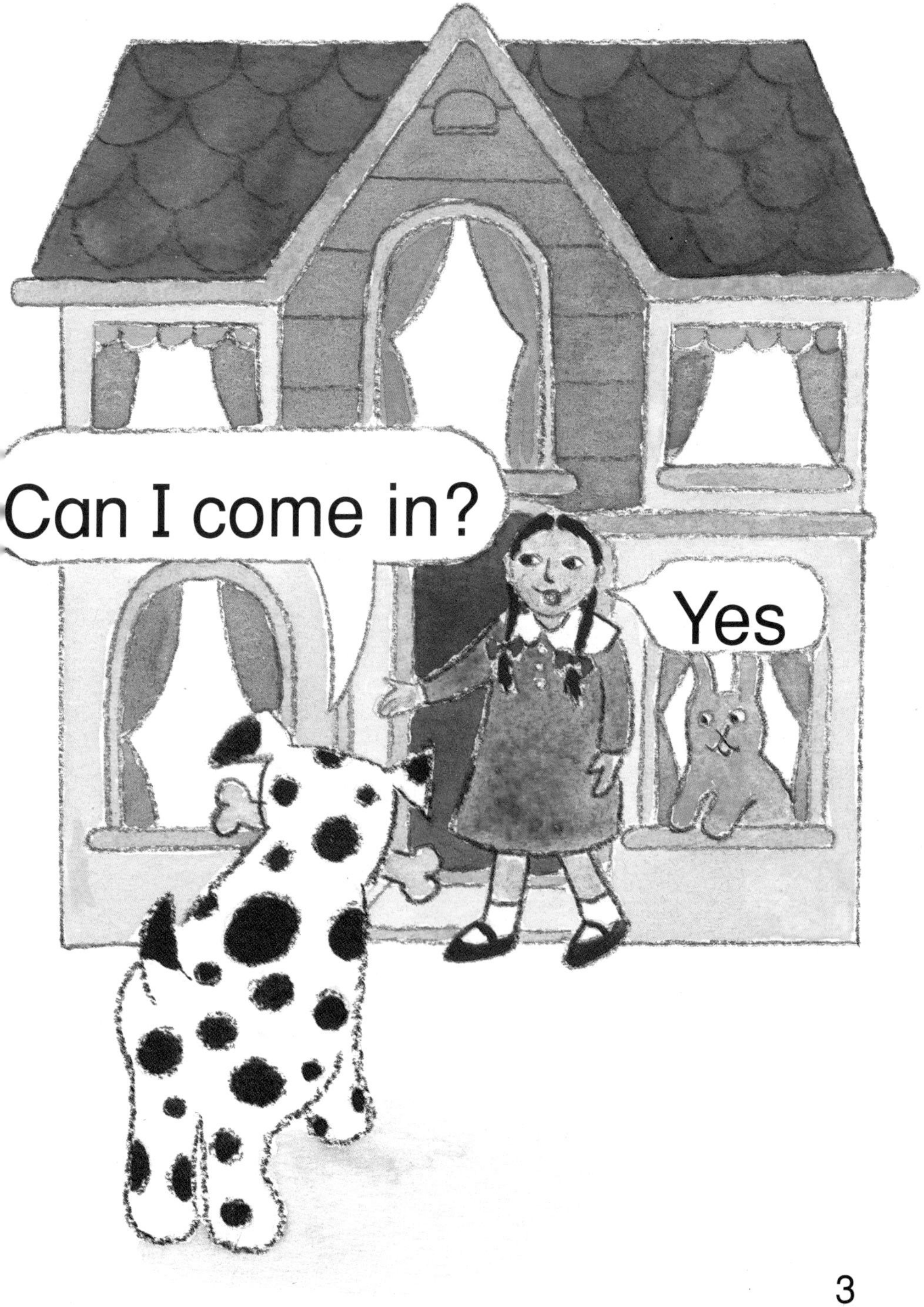
Can I come in?
Yes

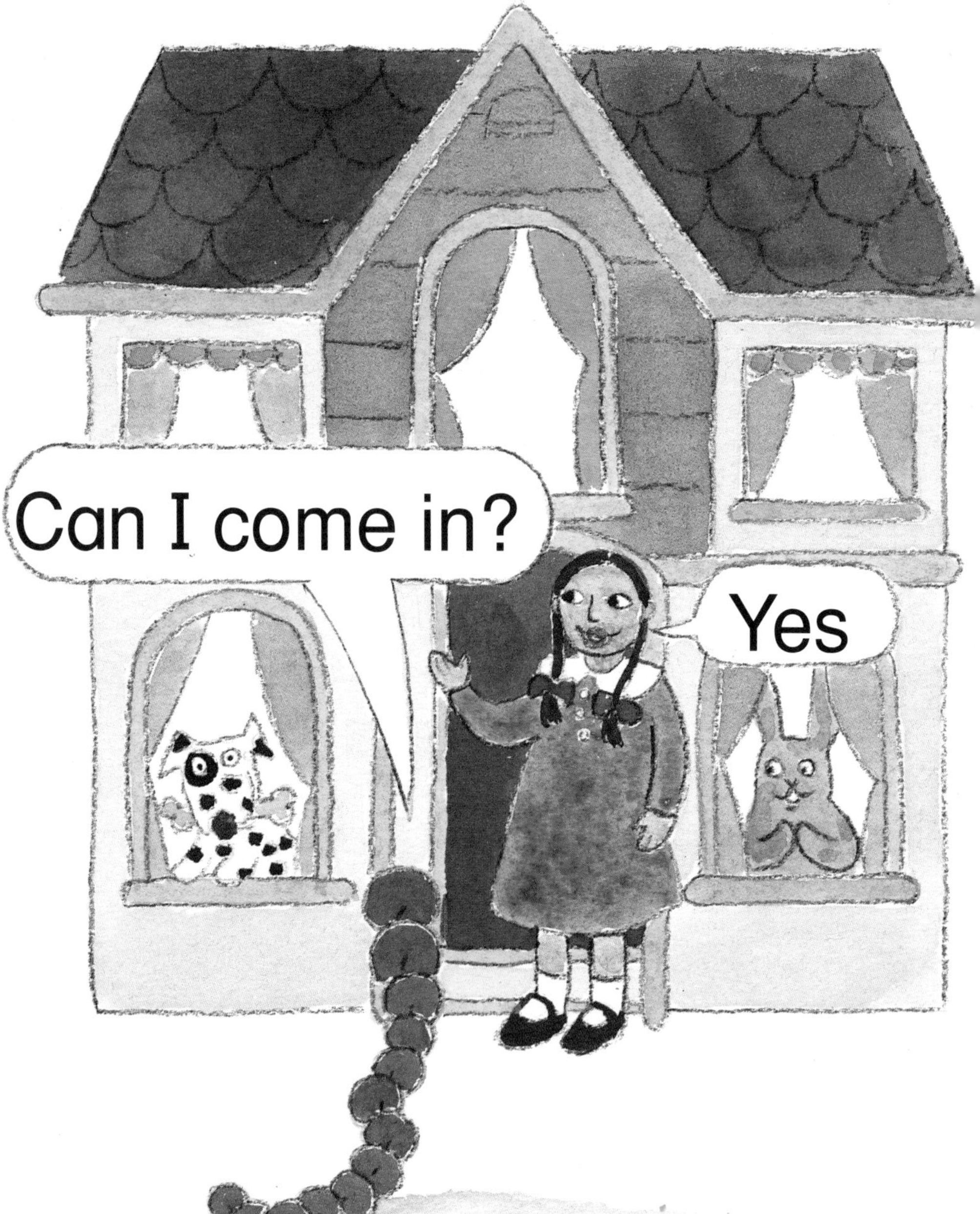
Can I come in?
Yes

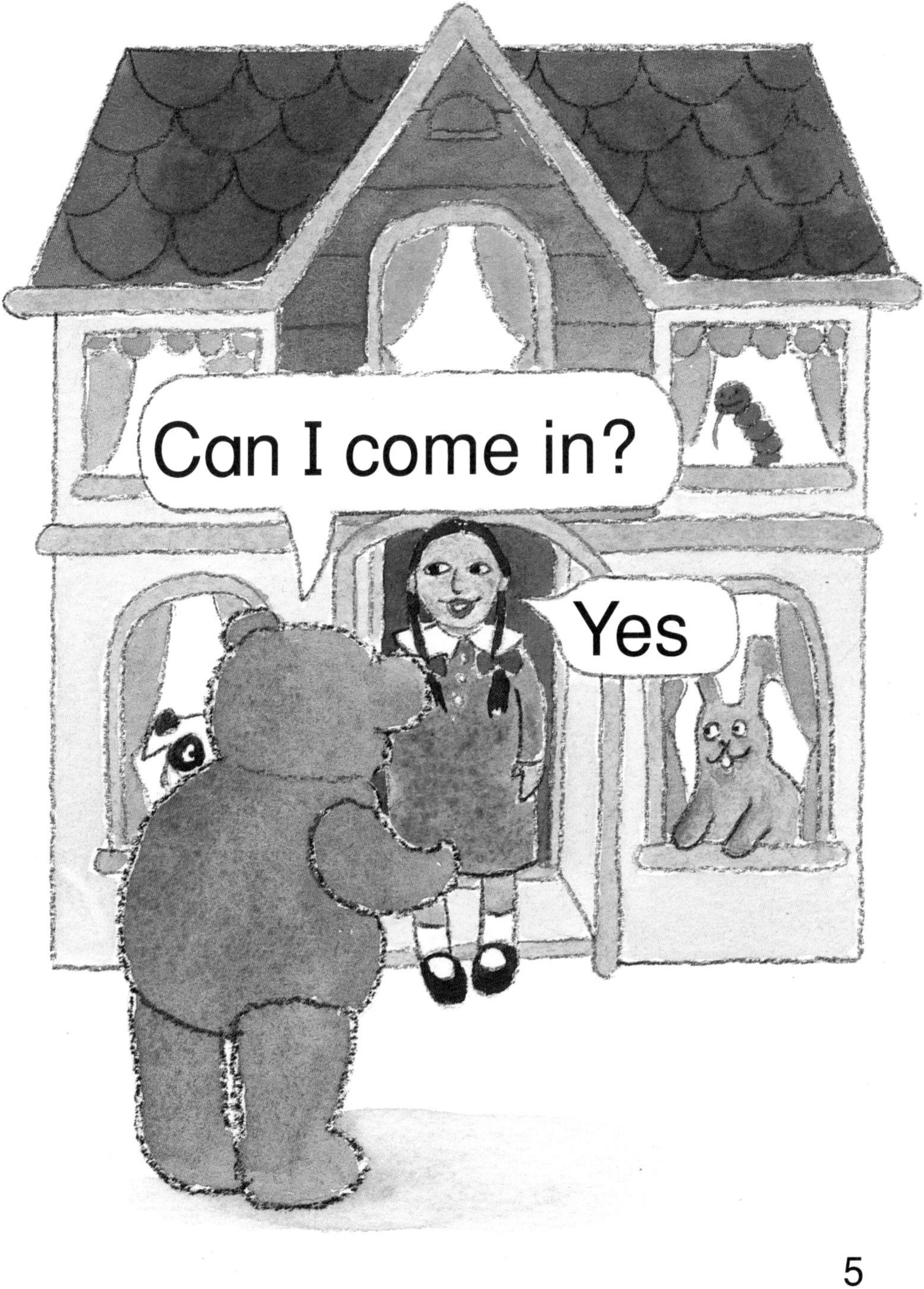
Can I come in?
Yes

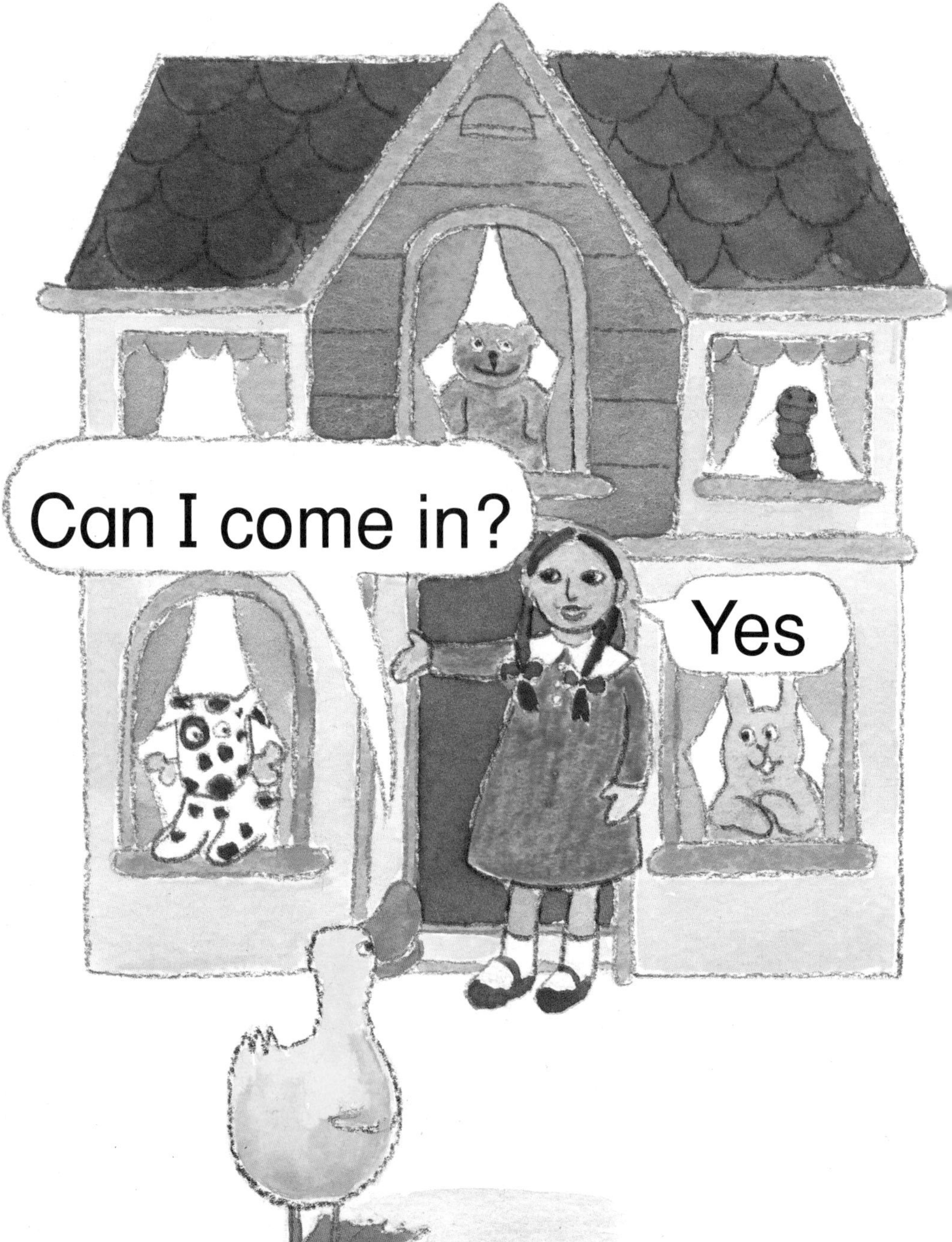
Can I come in?
Yes

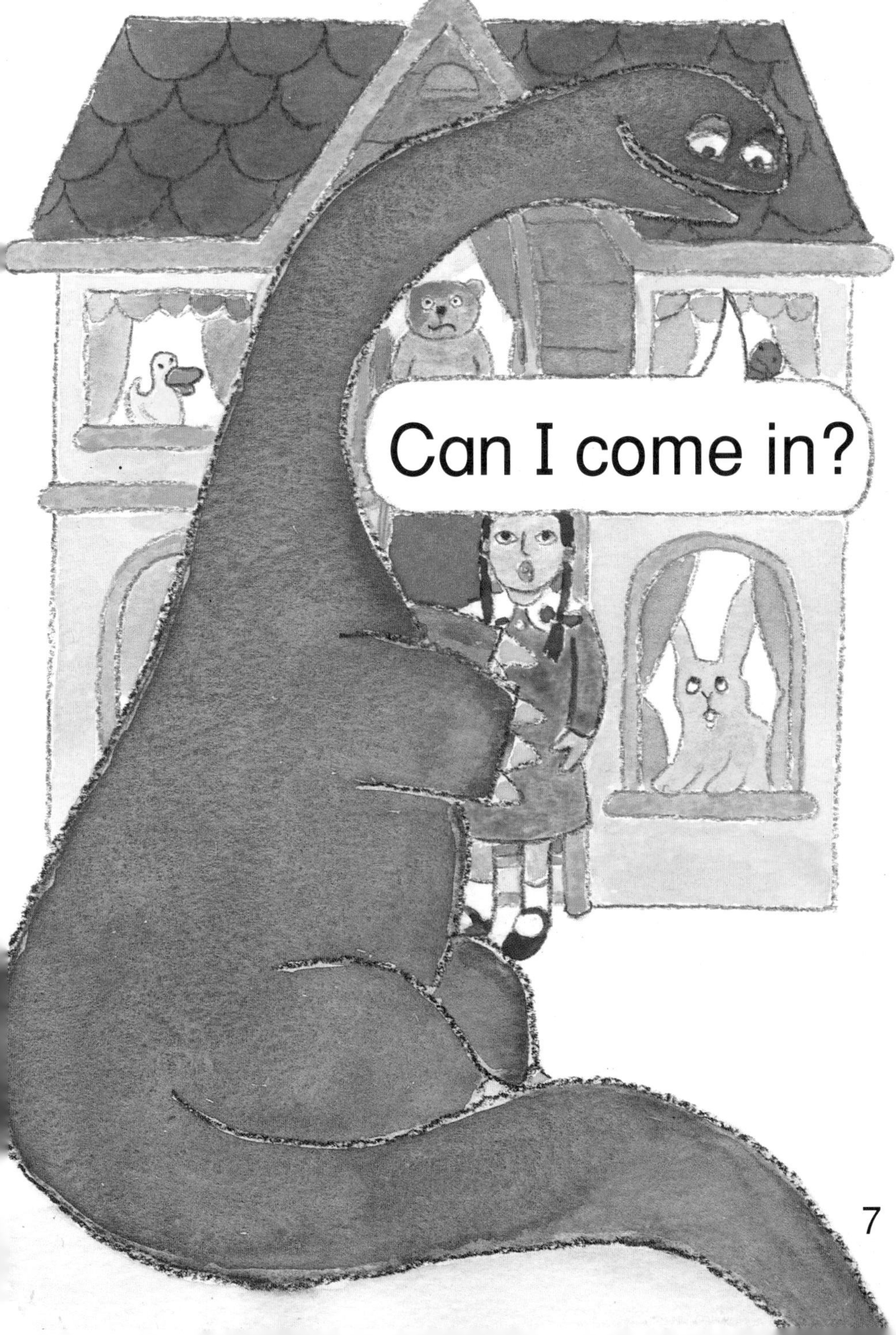
Can I come in?

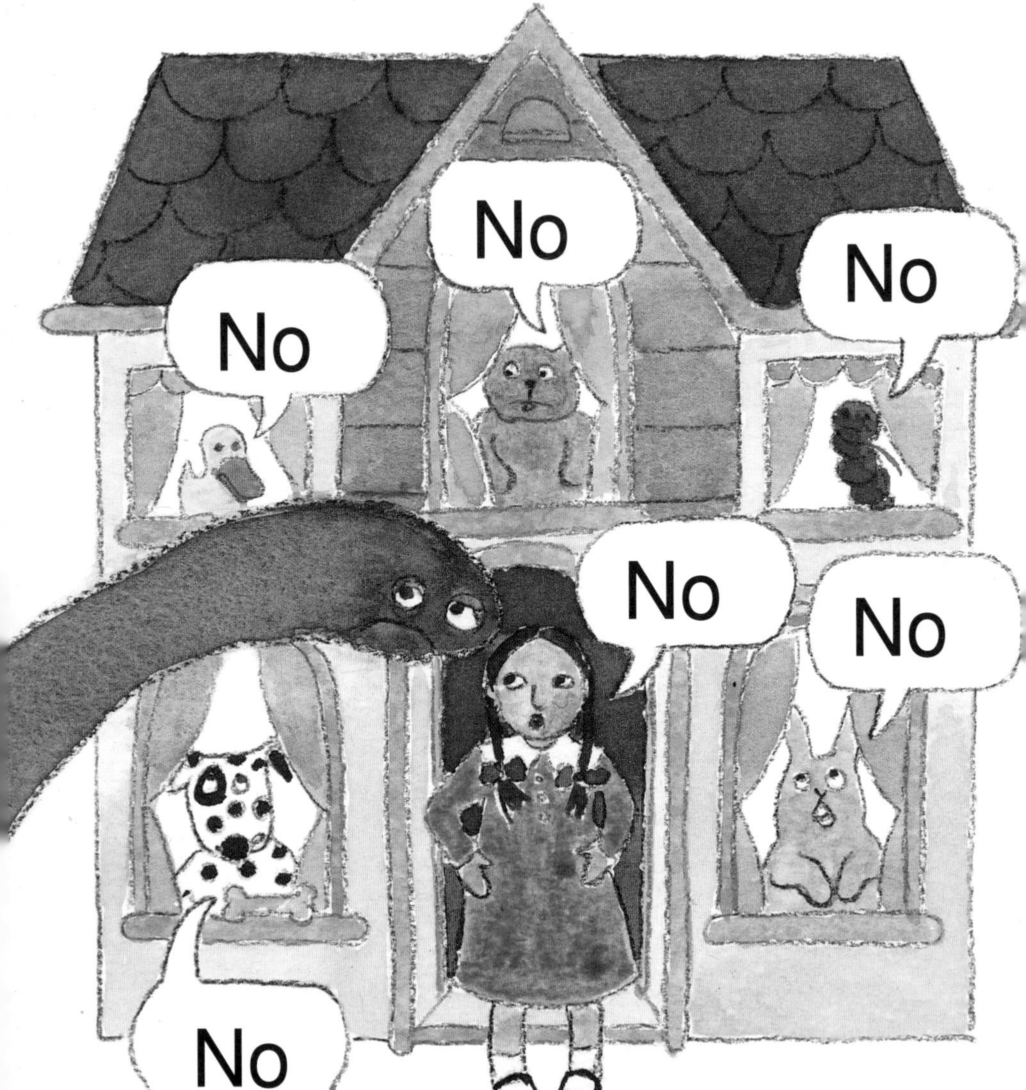
No
No
No
No
No
No